CB061688

Coleção Bibliofilia 1

DIREÇÃO
Marisa Midori Deaecto
Plinio Martins Filho

# O Que É Um Livro?

## Ateliê Editorial

**Editor**
Plinio Martins Filho

**Conselho Editorial**
Beatriz Mugayar Kühl
Gustavo Piqueira
João Angelo Oliva Neto
José de Paula Ramos Jr.
Lincoln Secco
Luiz Tatit
Marcelino Freire
Marcus Vinicius Mazzari
Marisa Midori Deaecto
Paulo Franchetti
Solange Fiúza
Vagner Camilo

*Diretora administrativa*
Vera Lucia Belluzzo Bolognani
*Edição e produção gráfica*
Aline Sato
*Gerente editorial*
Senise Fonzi
*Diagramação*
Camyle Cosentino
*Vendas*
Luana Aquino
*Logística*
Alex Sandro dos Santos
Ananias de Oliveira

## Sesc

**SERVIÇO SOCIAL DO COMÉRCIO**
Administração Regional no Estado
de São Paulo

**Presidente do Conselho Regional**
Abram Szajman
**Diretor Regional**
Danilo Santos de Miranda

**Conselho Editorial**
Ivan Giannini
Joel Naimayer Padula
Luiz Deoclécio Massaro Galina
Sérgio José Battistelli

**Edições Sesc São Paulo**
*Gerente*
Iã Paulo Ribeiro
*Gerente adjunta*
Isabel M. M. Alexandre
*Coordenação editorial*
Clívia Ramiro
Cristianne Lameirinha
Francis Manzoni
*Produção editorial*
Simone Oliveira
*Coordenação gráfica*
Katia Verissimo
*Produção gráfica*
Fabio Pinotti
*Coordenação de comunicação*
Bruna Zarnoviec Daniel

JOÃO ADOLFO HANSEN

# O Que É Um Livro?

Copyright © 2019 João Adolfo Hansen
Direitos reservados e protegidos pela Lei 9.610 de 19.02.1998.
É proibida a reprodução total ou parcial sem autorização,
por escrito, das editoras.

Dados Internacionais de Catalogação na Publicação (CIP)
(Câmara Brasileira do Livro, SP, Brasil)

---

Hansen, João Adolfo
*O Que É Um Livro?* / João Adolfo Hansen. – Cotia, SP: Ateliê Editorial; São Paulo: Edições Sesc São Paulo, 2019. – (Coleção Bibliofilia; v. 1 / direção Marisa Midori Deaecto, Plinio Martins Filho)

ISBN 978-85-7480-830-7 (Ateliê Editorial)
ISBN 978-85-9493-187-0 (Edições Sesc São Paulo)

1. Bibliofilia  2. Livros  3. Livros – Brasil – História
4. Livros – História  5. Livros e leitura  I. Deaecto, Marisa
Midori  II. Martins Filho, Plinio  III. Título.  IV. Série.

---

19-26552                                                          CDD-002.0981

Índices para catálogo sistemático:
1. Brasil: Livros: História        002.0981

Iolanda Rodrigues Biode – Bibliotecária – CRB-8/10014

Direitos reservados à

**Ateliê Editorial**
Estrada da Aldeia de Carapicuíba, 897
06709-300 – Cotia – SP – Brasil
Tel.: (11) 4702-5915
www.atelie.com.br
contato@atelie.com.br
 /atelieeditorial
blog.atelie.com.br

**Edições Sesc São Paulo**
Rua Serra da Bocaina, 570 – 11º andar
03174-000 – São Paulo – SP – Brasil
Tel.: (11) 2607-9400
edicoes@edicoes.sescsp.org.br
sescsp.org.br/edicoes
 /edicoessescsp

2019
Foi feito depósito legal
Impresso no Brasil

# O QUE É UM LIVRO?

O que é um livro? Muitíssimas coisas já foram faladas sobre o assunto nos séculos XX e XXI – por exemplo, por Lucien Febvre, Michel Foucault, Robert Darnton, Donald McKenzie, Maria Córti, Elizabeth Eisenstein, Peter Burke, Jean Hébrard, Roger Chartier, Hans Robert Jauss, Wolfgang Iser, Karlheinz Stierle, Reinhart Koselleck, Frédéric Barbier, e, aqui no Brasil, Carlos Rizzini etc. Começo com o óbvio: o livro não é um objeto natural, mas artificial, material e simbólico. Como objeto artificial, é mercadoria, produto acabado de vários processos intelectuais, técnicos e industriais; como objeto simbólico, é texto, que pressupõe uma autoria, que o acabou como obra, e leitores, que nunca acabam. Definitivamente acabado sob uma assinatura de autor, continua indefinidamente inacabável nas leituras que, na sociedade contemporânea, ainda pressupõem e reproduzem as normas dos regimes discursivos estabelecidos desde o Iluminismo, no século XVIII – ficção, ciência, religião, filosofia, história, direito etc. –, cada um deles com pressupostos epistemológicos, teóricos, críticos, doutrinários e procedimentos técnicos de escrita e leitura específicos.

Com isso, podemos falar do livro como objeto material, tratando por exemplo dos processos técnicos, industriais e editoriais da sua produção e publicação. Como mercadoria, está sujeito a uma legislação que regula as trocas econômicas e simbólicas, que também têm uma história. Como objeto e mercadoria ou valor de troca, também pressupõe vários processos de distribuição, divulgação, comunicação, controle, valoração, apropriação e uso. Como objeto simbólico, é um texto que tem uma estrutura ou uma forma feita segundo vários critérios; uma função ou uma relação determinada de transformação que estabelece com a cultura contemporânea dele ou anterior a ele; uma comunicação como relação retórica estabelecida entre o autor, como forma de sensibilidade simbólica, com o destinatário textual, e como relação do texto com o leitor empírico; e um valor, como valor de uso, no interior de um campo simbólico da cultura, por exemplo a ficção literária, a filosofia, a ciência – em que é texto objeto de uma hierarquização que o faz fundamental, importante, canônico, clássico, como se diz, ou apenas secundário, de divulgação, desimportante, banal e descartável.

Borges diz que o homem inventou instrumentos como extensão do corpo – a espada e o arado como extensão do braço, o microscópio e o telescópio como extensão do olho, o telefone como extensão da voz e o livro como extensão da memória e da imaginação. A escrita é poder, vocês sabem, e também poder como memória artificial, guardada em um arquivo ou em uma biblioteca, poder de armazenar capital simbólico para o futuro, resistindo ao tempo que passa e superando a oralidade do presente, em que a informação se esgota no ato da fala e da audição. Sabemos que a memória nunca é lembrança total, pois só é memória porque esquece, ou seja, é memória porque é seleção do que culturalmente se julga significativo e lembrável, condicionada por vários fatores – entre eles, por exemplo, os religiosos e políticos. Pensemos, por exemplo, no que aconteceu com o gigantesco *corpus* de textos latinos e gregos quando o Império Romano adotou o cristianismo como religião oficial de Estado, e autoridades cristãs passaram a decidir o que podia ser mantido do mundo pagão e determinaram os modos da manutenção. Datam daí, por exemplo, as muitas eliminações de referências que antes tinham sido fundamentais no mundo greco-romano, mas que se tornaram paganismo, idolatria, superstição, perseguidos pela nova fé. Lembro, por exemplo, as várias versões do Ovídio moralizado, censurado e expurgado do que os cristãos julgaram imoral, que foram publicadas até o século XVI. A memória também é condicionada por fatores econômicos e pelo gosto – o que aconteceu com muitíssimos textos manuscritos, quando a manuscritura, que tinha durado mais de mil anos durante a chamada Idade Média, foi substituída a partir do século XV pelas edições impressas, subordinadas cada vez mais a interesses mercantis de editores e livreiros e à flutuação do gosto da demanda dos leitores? Não lhes parece estranho que alguns livros durem mais de 3 mil anos, como a *Ilíada* e a *Odisseia* duram até hoje? E que outros desapareçam e sejam totalmente esquecidos? Por que isso acontece? Provavelmente porque os conceitos de verdade e verossimilhança, de bem e mal e de valor artístico são históricos, quero dizer, particulares e mortais. E a imaginação de que fala Borges? Como a imaginação opera? Obviamente, ela transforma matérias sociais. Com que critérios ela as transforma? Por exemplo, no início do século XIX, quando se inventou um novo objeto, "a criança", os irmãos Grimm inventaram um novo gênero literário, a literatura infantil, recolhendo contos populares contados por camponeses alemães e franceses e adaptando-os à moralidade burguesa para a boa educação das crianças alemãs.

Outro autor que vale citar é do século XVII, Antônio Vieira, que pergunta:

> Que tem que ver o livro com o Sacramento? Agora o vereis. O livro é a mais perfeita imagem de seu autor, tão perfeita que não se distingue dele, nem tem outro nome; o livro, visto por fora, não mostra nada; por dentro está cheio de mistérios; o livro, se se imprimem muitos volumes, tanto tem um, como todos, e não têm mais todos que um. Quem há que não reconheça em todas estas propriedades o Santíssimo Sacramento do Altar? Livro é, e livro com grande propriedade: *Comede volumen istud*. Comei esse volume.

Vieira faz uma interpretação teológica propondo o livro como metáfora da hóstia. Mas me parece mais interessante o que ele diz depois: ele diz que o livro está juntamente em Roma, na Índia, e em Lisboa, e é o mesmo; e, sendo o mesmo para todos, uns percebem dele muito, outros pouco, outros nada, cada um conforme a sua capacidade. Assim, ele diz, o livro é um mudo que fala, um surdo que responde, um cego que guia, um morto que vive, e, não tendo ação em si mesmo, move os ânimos, e causa grandes efeitos. Aqui, Vieira diz no século XVII o que disseram no século XX os alemães teóricos da recepção e da leitura, como Jauss, Robert Weimann e Iser: um livro não tem ação em si mesmo, mas causa grandes efeitos porque é lido, sendo por isso mesmo o somatório sempre inacabado de suas leituras. Jauss lembrou, no caso, que uma peça de teatro que Goethe escreveu no final do século XVIII, *Ifigênia*, teve inicialmente uma interpretação iluminista, depois romântica, e, no século XX, mais duas, uma marxista e outra nazista.

Falei de regimes discursivos que classificam os livros. Há uma hierarquia deles, totalmente explícita e algumas vezes tácita, implícita. Por exemplo, entre nós, hoje, um livro didático escrito para a escola secundária é considerado só um instrumento em frente a um livro de ficção ou de ciência ou filosofia. O de ficção não é útil e, quando faz parte do cânone literário, como um romance de Machado de Assis, é considerado superior ao texto instrumental do livro didático, admitindo muitas interpretações. Já o livro de ciência tem significado unívoco que não admite interpretação desviante, pressupondo um leitor especializado. Também um de filosofia de Kant, como a *Crítica da Razão Pura,* que é teórico e objeto de especialistas. Livros de autoajuda pressupõem o mal-estar cultural produzido pela ideologia norte-americana da Grande Saúde em indivíduos débeis. A *Bíblia*, o *Corão*, o *Talmud* são livros que incluem muitos livros, com uma interpretação dada como verdadeira e autorizada, que os fiéis repetem há séculos, às vezes com fé excessiva. Ainda há muito a dizer sobre o controle, a censura e a guerra de livros como as que esses três, das três grandes religiões do Livro, vêm fazendo há muitos séculos contra ideias desviantes deles. São quatro exemplos, mas poderia dar mais uns mil. Salman Rushdie foi ameaçado de morte por líderes muçulmanos quando publicou seus versos satânicos fazendo paródia das histórias de vida de parentes de Maomé. No século XV, os irmãos Sozzini, de Siena, receberam a incumbência de passar a Bíblia latina para o toscano. Vocês conhecem o primeiro versículo do

Gênesis: "No princípio era o Verbo e o Verbo era Deus". Eles o traduziram assim: *C'era una volta*, "Era uma vez", transformando a verdade absoluta do sagrado em conto da carochinha. A Inquisição italiana os perseguiu por toda a Europa até que eles se refugiaram na sinagoga de Amsterdã. O terceiro exemplo: entre as teses reformadas que Martinho Lutero publicou em Wittenberg em 1517, uma das principais é a da *sola scriptura*, só com a escritura. A tese afirma que o fiel não necessita dos ritos visíveis e do clero da Igreja como mediação entre ele e Deus, mas que basta possuir uma Bíblia e lê-la em silêncio, solitariamente, esperando que Deus apareça. O Concílio de Trento decretou a tese herética e proibiu a leitura da Bíblia pelos católicos, para impedir o livre-exame. Isso teve consequências que até hoje nos atingem: os países católicos em que os reis eram aliados do papa, como a Espanha e Portugal, escolheram manter as populações dos reinos e as populações pobres, negras e indígenas das colônias da América analfabetas, e a palavra de Deus foi transmitida oralmente a elas pelo padre iluminado pelo Espírito Santo. Instituições como o Santo Ofício da Inquisição aqueceram o dogma com o fogo. Nos lugares do Norte da Europa que se tornaram protestantes, os presbíteros trataram de alfabetizar as populações para a leitura da Bíblia editada em língua vulgar. A imprensa permitiu a edição barata e em grande quantidade de Bíblias reformadas, luteranas, calvinistas, anglicanas, anabatistas etc. Eis então o último exemplo, esse do livro como instrumento de guerra. Quando os holandeses em guerra contra a Espanha invadiram e dominaram o que é hoje parte do Nordeste do Brasil a partir de 1630, distribuíram 5 mil exemplares em português da versão calvinista da Bíblia.

Agora, retomando o que diz Vieira, também os conceitos de *autor* e *autoria* não são uma constante transistórica. Foucault lembrou que, até o século XVIII, os livros de ciência eram citados pelos nomes dos autores, por exemplo, Euclides e Galeno, e os de ficção, não, porque pressupunham a *mímesis* aristotélica e a doutrina latina da *imitatio* como regramento dos gêneros. Cícero não era propriamente o nome de um indivíduo e autor romano que viveu o fim da República, como pensamos hoje, mas a classificação da oratória, assim como Virgílio significava "epopeia". A partir do século XVIII, a coisa se inverteu: a autoria dos livros de ciência se dissolve na generalidade de um campo em que a iniciativa da pesquisa do cientista individual é somente um elemento hiperespecializado de um conhecimento anônimo. Livros de física, matemática, e os de ficção, determinados pela livre concorrência e pela competição burguesas, passam a ser comandados pela mercadoria inventada no século XIX, a "originalidade", sendo conhecidos pelo nome de um autor com direitos autorais, como Stendhal ou Joyce ou Guimarães Rosa. Também mudou historicamente o próprio conceito de "obra" associado ao conceito de livro, desde os romanos até hoje. Lembro, por exemplo, como a instituição retórica, que existiu desde os gregos até o século XVIII prescrevendo a imitação de modelos dos vários gêneros e estilos, foi desmantelada e esquecida pela revolução romântica, que inventou o indivíduo. E também os conceitos de leitor, de leitura e os modos e os fins da leitura mudaram historicamente. Hoje, por exemplo, o campo das novas mídias digitais é como um território descoberto há pouco que está sendo velozmente invadido e colonizado por redes cada vez mais densas e entrelaçadas de informação. Elas avançam rapidamente, como que substituindo o terreno por onde passam pela sua própria materialidade imaterial. Elas são um acontecimento, algo novo, que rompeu hábitos produzindo novos, que evidenciam que hoje o capital novamente revoluciona as tecnologias de produção, armazenamento, difusão, consumo e *feedback* da informação. Isso tem consequências já evidentes no campo da cultura. Sem futurologia, que é tolice, podemos dizer, pois isso já é objetivo, que as novas mídias certamente poderão garantir a invenção de novas formas literárias que incorporem o meio material de transmissão digital na percepção das significações e do sentido dos textos. Incorporações como essa já aconteceram há muitíssimo tempo, quando o *volumen* latino foi substituído pelo códice e, principalmente, quando a imprensa substituiu a manuscritura. Ou, faz menos tempo, na segunda metade do século XIX, quando a fotografia foi fundamental na extinção da pintura acadêmica baseada na *veduta*, a janela ou o quadro dos pintores italianos dos séculos XV e XVI, liberando a pintura para as novas experiências formais de Cézanne e do que veio depois. De modo semelhante, os novos modos de percepção do movimento, por exemplo quando se andou pela primeira vez em um automóvel Ford na espantosa velocidade de vinte quilômetros por hora, alteraram substancialmente também os modos de ordenar o espaço e o tempo das formas da prosa e da poesia. O futurismo, na versão fascista e guerreira de Marinetti e, principalmente, depois da Revolução de 1917, nas versões revolucionárias da velocidade produzidas por grandes artistas russos, pressupunha e incluía nas formas plásticas e poéticas as estruturas e formas dos novos meios materiais. As novas máquinas digitais de agora talvez sejam mais radicais que essas do século XIX e início do século XX porque não intervêm apenas em um campo parcial da atividade humana, como aconteceu nas artes plásticas e na literatura modernista e moderna, mas fazem redefinições radicais da totalidade do espaço-tempo do planeta, do corpo, do sujeito, das formas da sensibilidade, da política etc., fundamentais na invenção de novas formas de escrita e leitura. Essa simultaneidade do chamado "glocal", que é a simultaneidade instantânea do não simultâneo, também já alterou a relação tradicional que tínhamos com a escrita, com a memória e com a imaginação. As mídias digitais realizam o projeto moderno de produzir a simultaneidade instantânea, aqui e agora, ao mesmo tempo ausente, de todas as temporalidades do tempo. Por enquanto, elas estão desierarquizadas nessas mídias como as peças de um joguinho Lego. Não sei se os meios digitais permitem hierarquizar o valor da informação, como ainda fazemos opondo literatura séria a literatura *kitsch*, ou se a própria natureza deles implica justamente a equalização de todos os valores. Como o mundo continua capitalista, as novas mídias agora também fazem com que coisas que até ontem só tinham valor de uso, como um poema grego antigo ou um tratado de retórica do século XVII, passem a ter também valor de troca. Quem é o proprietário dessas mercadorias? O Google tem o projeto de digitalizar mais de setenta mil textos anteriores ao século XVIII que hoje são de domínio público. O que vai acontecer quando o trabalho estiver pronto? De todo modo, as mídias digitais também alteram as condições da crítica, principalmente porque põem em crise a noção burguesa e romântica do autor como individualidade que tem a posse e a propriedade do texto original que produz; desierarquizam o valor estético dos textos e produzem um público espantosamente maior, incontável, ao mesmo tempo anônimo, disperso e fragmentado, que agora pode ter acesso a milhões de textos digitalizados e, quem sabe, lê-los. Mas como são lidos? E o que se faz com eles?

Materialidade, artifício, historicidade, linguagem, simbólico, escrita, autoria, leitura, leitores, tempo, memória, imaginação e retórica são, assim, algumas categorias para tratar do tema proposto – "O que é um livro?".

★ ★ ★

Vocês sabem, o livro existiu como objeto escrito antes de ter a forma de códice ou caderno de folhas costuradas ou coladas e encadernadas com capa, lombada, orelhas e contracapa que conhecemos hoje. Não posso falar da escrita cuneiforme sumério-babilônica com o poema de *Gilgamesh* gravado em cacos de barro, nem dos hieróglifos do *Livro dos Mortos* egípcio, nem dos pictogramas do *Popol Vuh* maia ou de livros chineses, como o *Lunyu*, os analectos de Confúcio, ou o *Tao Te Ching,* escritos com ideogramas em varetas de bambu. Aqui, vou lembrar que no Ocidente as primeiras formas escritas aparecem em Atenas, na metade do século VI a.C., quando o tirano Pisístrato ordenou a fixação, com letras capitais gregas derivadas de um alfabeto fenício, dos poemas homéricos, a *Ilíada* e a *Odisseia*, que já circulavam na oralidade uns seiscentos anos antes disso. Arqueólogos e historiadores dizem que Pisístrato ordenou a escrita dos poemas como texto oficial para ser lido nas festas Panateneias dadas anualmente em celebração de Palas Atena, a deusa padroeira da cidade. Os poemas foram escritos em rolos que então eram fabricados pelos egípcios com talos de uma planta do delta do Nilo, o papiro, de onde vem o termo "papel". Os egípcios colhiam os talos, com eles faziam feixes verticais e, sobre eles, dispunham feixes horizontais, batendo-os com martelos de madeira até se transformarem em uma pasta, que secavam, e às vezes os cobriam com uma camada fina de cola ou cera, para receberem, depois de polidos, hieróglifos e desenhos. A parte superior do rolo era presa em um sarrafo de madeira redondo e o papiro, escrito de um lado só, era enrolado em torno dele, mantendo a parte escrita para dentro, como proteção das inscrições. O texto grego de Homero e outros, como os de tragédias e comédias áticas, obras filosóficas etc., eram escritos em colunas nos rolos, com letras maiúsculas lidas da esquerda para a direita, sem a separação das palavras, sem sinais de pontuação e sem acentos. Versos de poesia lírica, trágica e épica eram escritos na forma sequencial da prosa até pelo menos o terceiro século a.C., quando Aristófanes de Bizâncio inventou a colometria, a disposição das unidades métricas dos versos na forma de coluna que conhecemos hoje. Lembro que o nosso termo "verso" é o latim *versum*, do verbo *vertere*, "o que é vertido" e "o que reverte", o que volta com a mesma medida; quanto à prosa, é o latim *ordo prorsa*, ordem direta, contínua ou sequencial. Nos rolos, os diálogos dos textos de tragédias de Sófocles e comédias de Aristófanes, por exemplo, não traziam a marcação dos nomes dos personagens, mas apenas um traço que indicava uma nova fala. O rolo, que os romanos chamavam de *volumen,* tinha uma grande inconveniência – era muito caro e muito frágil, rasgando com muita facilidade ao ser desenrolado para ser lido. Quase sempre, o leitor segurava a madeira que fixava a parte superior com a mão esquerda e, com a direita, o desenrolava; à medida que lia, tinha de enrolar a parte já lida com a mão esquerda. Não era muito cômodo. Por exemplo, hoje, *O Banquete* de Platão pode ser publicado em brochuras que têm no máximo setenta páginas. Na Antiguidade, o rolo com o texto de *O Banquete* media sete metros de comprimento. Por isso, em vez de desenrolar e enrolar para buscar uma referência, os leitores costumavam citar o texto de memória, o que produzia muitas variantes do suposto original – assim, foram responsáveis pela invenção da filologia pelos alexandrinos. Licurgo teria mandado colecionar rolos com os textos das tragédias e comédias encenadas nas festas dionísias. No século IV a.C., Aristóteles teria reunido grande quantidade de rolos, armazenando os saberes estudados no Liceu. Em Pérgamo, se inventou outro suporte do texto, o pergaminho, feito principalmente de couro de carneiro, mas foi pouco usado antes dos primeiros séculos da era cristã.

Na história do livro é imprescindível lembrar o Museu de Alexandria, uma casa dedicada às Musas, onde, por volta de 290 a.C., um grupo de homens passou a ser financiado pelo faraó Ptolomeu Filadelfo para cuidar de uma coleção de livros escritos em rolos. Ao lado do museu passou a existir a Biblioteca de Alexandria a partir de 280 a.C., onde se guardavam cerca de duzentos mil rolos, número que foi sempre aumentando – há registro de 490 mil rolos – até o incêndio da biblioteca, quando Júlio César invadiu o Egito. Não se sabe se os bibliotecários faziam cópias deles, mas executaram o projeto de arquivar em rolos todas as letras gregas produzidas até então. O faraó Ptolomeu pediu emprestado o exemplar oficial das tragédias áticas guardado no arquivo de Atenas. A cidade exigiu quinze talentos de garantia, o que ainda hoje seria uma quantia bastante alta. O faraó pagou e resolveu ficar com o livro, ou livros, e mandou fazer a cópia que foi devolvida aos atenienses. Não se sabe bem qual era o princípio classificatório dos livros da Biblioteca de Alexandria. Sabe-se, contudo, que o poeta Calímaco, um de seus bibliotecários, fez uma espécie de guia bibliográfico de todas as letras gregas armazenadas na biblioteca usando 120 rolos. Os rolos eram manuscritos com letras gregas maiúsculas. Como sabem, cópia significa erro. Assim, para dar conta das muitas variantes dos textos, os bibliotecários de Alexandria inventaram uma disciplina, a filologia, que passaram a aplicar a textos que tinham ficado ininteligíveis ou que apresentavam muitas variantes. Os primeiros papiros com a poesia de Homero tinham mais versos que as edições de hoje; os bibliotecários de Alexandria eliminaram muitos deles e estabeleceram um texto-padrão, que puseram à disposição de quem quisesse copiá-lo; também mandaram escribas profissionais fazer cópias para vender. Com isso, as variantes tenderam a desaparecer. Eles inventaram um sistema de sinais como escólios, breves anotações que indicavam alterações, correções, eliminações, inclusões etc. feitas nos textos. Também alteraram o alfabeto dos textos antigos, substituindo-o pelo alfabeto jônico; estabeleceram um sistema de pontuação para facilitar a leitura; e inventaram o sistema de acentuação, que facilitou a leitura das palavras não separadas. O estabelecimento de versões consideradas corretas foi acompanhado de comentários feitos para resolver problemas dos textos. Os comentários formavam rolos separados e data desses manuscritos, talvez, a crítica literária.

Em Pérgamo, nos séculos III e II a.C., houve uma biblioteca em que eruditos colecionavam rolos com textos de topografia e inscrições. Em Roma, também se utilizou o papiro e, no século II a.C., o rolo, *volumen*, ou os rolos, *volumina,* circulavam entre o patriciado romano. Um século depois, no tempo de Cícero e Varrão, o livro fazia parte da vida dos homens instruídos, que tinham rolos escritos em grego e em latim. Pela correspondência de Cícero com seu amigo Ático, que lia os textos dele e propunha alterações antes de publicá-los em cópias manuscritas em rolos, fica evidente que em Roma a publicação dependia de circunstâncias e fatores pessoais. Não havia direitos autorais e era costume o autor pedir a amigos que fizessem modificações nos rolos que possuíam com sua obra, mas outras cópias que circulavam fora do círculo das amizades ficavam sem alteração, o que produziria problemas no futuro, principalmente nos séculos XV e XVI, quando muitíssimos eruditos das cidades italianas passaram a editar tais textos e, depois, nos séculos XIX e XX, quando especialistas e filólogos fizeram edições críticas. No tempo de Augusto já havia livreiros em Roma – o termo *librarii* então significava tanto o vendedor como o copista de textos. Nesse tempo, o rolo era material básico na educação romana. Um gramático o usava para ler, por exemplo, poesia com crianças, e depois um retor, que em geral se especializava em prosa, comentava os textos com eles. Em 26 a.C., Caecilius Epirota abriu uma escola em que ensinava a poesia de Virgílio, e os alunos a copiavam em rolos e tabuinhas de cera. No século I da era cristã, os rolos continuaram a ser usados, agora com textos de Horácio, Lucano, Virgílio, as comédias de Terêncio e, na prosa, Cícero e Salústio. Entre os séculos II e V da era cristã aparecem os compêndios, ou antologias com trechos de textos antigos que tinham sido perdidos e resumos de obras de historiadores como Tito Lívio, por exemplo. Conta-se que, no século III d.C., o imperador Tácito mandou copistas fazer dez cópias por ano dos *Anais* de seu homônimo, o historiador Tácito, para salvá--los da negligência dos leitores. Um texto do século v da era cristã, *Sobre as Núpcias da Filologia*, de Marciano Capella, escrito como tratado alegórico em que as sete artes liberais – gramática, retórica, dialética, aritmética, música, geometria e astronomia – aparecem como damas de honra no casamento de Mercúrio com a Filologia, seria fundamental durante toda a chamada Idade Média, até o século xv, época em que as sete artes se transformaram nas disciplinas do *trivium*, um curso elementar em que se estudavam três disciplinas – gramática, retórica e dialética –, e do *quadrivium,* um curso superior em que se estudavam quatro outras – música, geometria, astronomia e aritmética.

Entre o século II e o IV da era cristã aconteceu algo decisivo na história do livro: a substituição do rolo pelo *codex*, ou códice, que deu ao livro a aparência que conhecemos hoje. Nos tempos antigos, quando dominava o rolo, também se usavam tabuinhas cobertas com cera, e a escrita era gravada nelas com um estilete chamado *stylus*, termo que passou a nomear, como hoje, a maneira particular de escrever do autor; as tabuinhas eram unidas por garras de metal e, já no fim da República, os romanos também substituíam as tabuinhas de madeira e cera por cadernos de folhas de pergaminho chamados *membranae* – mas o uso deles demorou a se impor. Nos poemas que escreveu entre 84 e 86 da era cristã, Marcial diz que o *codex* é melhor, porque é pouco volumoso e fácil de carregar. Mas o uso dele só começou para valer nos séculos III e IV. O *codex* era feito de folhas de papiro ou de pergaminho. O papiro era frágil, como disse, e não durava muito, por isso o pergaminho foi preferido, porque tinha duração indefinida.

A manuscritura se desenvolveu muito desde então. Não posso tratar dela durante mais de mil anos e da sua associação com outras artes, como o desenho e a pintura das iluminuras. Mas, no século XV, os textos eram copiados à mão às centenas na Europa. Quando Gutenberg inventou a imprensa com tipos móveis em meados do século, ela aparentemente seria apenas uma técnica mais cômoda de produzir a escrita. Lucien Febvre diz que, entre a invenção da imprensa e 1500, houve uns 20 milhões de exemplares impressos. Os editores e livreiros visavam lucros, obviamente. Dos livros impressos, 77% ainda eram em latim, e o restante, em proporção decrescente, em italiano, alemão, francês e flamengo – 45% eram de textos religiosos e uns 33% eram de textos clássicos de ficção. Para os editores, a publicação de livros religiosos, como a Bíblia, e livros da piedade cristã, como a *Imitação de Cristo,* de Tomás de Kempis, era a mais interessante, porque tinha público garantido, principalmente entre o clero e as ordens religiosas, os que liam. Assim, há centenas de edições da Bíblia em latim e muitas em línguas vulgares. E muitíssimas edições de textos gregos e latinos antigos. E de muitos livros de cavalaria, lidos ainda no século XVII e bastante abalados desde *Dom Quixote*. Lembro um grande editor, Aldo Manúcio, que entre o fim do século XV e o começo do XVI publicou textos gregos e latinos tornando o tamanho dos livros menor e mais cômodo. Aldo Manúcio produziu rivais em Lyon, Basileia, Paris e Estrasburgo, que publicam sem parar textos de gregos e latinos atendendo à demanda sempre crescente por eles. Lucien Febvre lembra que as obras de Virgílio – *Bucólicas*, *Geórgicas* e *Eneida* – tinham sido impressas 162 vezes no século XV; no XVI, 263 vezes, sem contar as muitas traduções que delas foram feitas. Um problema interessante é o do grego, no caso, que é muito citado em um dos autores mais publicados e lidos nesse tempo, Cícero. O alfabeto grego tem mais sinais que o latino, considerando, por exemplo, as letras que são acompanhadas de espíritos e acentos. No início, os tipógrafos transcreviam em latim as citações gregas feitas por Cícero. A partir de 1464, começaram a entalhar letras gregas sem acento e acrescentando a elas letras latinas, por exemplo, o A maiúsculo latino valendo pelo alfa maiúsculo do grego etc. A partir de 1474, editores italianos começaram a editar livros inteiramente em grego ou em grego em uma coluna com a tradução em latim em outra, ao lado. Em Brescia, Tommaso Ferrando publicou assim o poema cômico atribuído a Homero, a *Batrachomyomachia*, ou a batalha das rãs e dos ratos. Depois disso, em

Florença, Veneza e Milão são publicadas obras inteiramente em grego. Logo depois, o mesmo passou a ocorrer fora da Itália. Em meados do século XVI, Garamond, a mando de Francisco I, rei de França, entalhou os tipos gregos conhecidos como "Gregos do Rei", imitando a escrita de um calígrafo cretense, Angelo Vergécio. No caso, os chamados humanistas quiseram dominar três línguas: além do grego e do latim, também o hebraico. Eles aprenderam grego com os gregos que fugiram de Constantinopla quando a cidade foi tomada pelos turcos. Para aprender hebraico, foram aos judeus, desafiando os dogmas católicos. Os textos em hebraico foram editados principalmente pelas comunidades judaicas da Espanha, pelo menos até 1492, quando foram expulsas do país, e de Portugal, pelo menos até 1498, quando tiveram de escolher entre a conversão ao cristianismo como cristãos-novos e a expulsão. Por isso, foi nas cidades italianas que a tipografia hebraica floresceu. Mas essas três línguas não eram conhecidas pela maioria das populações e, a partir de 1520, especialmente, os editores começam a publicar mais e mais traduções nas línguas vulgares, que se enriquecem extraordinariamente quando escritas incorporando os latinismos e os helenismos, como acontece com Camões, Rabelais e Góngora.

★ ★ ★

Teria mais a falar desses processos, mas paro por aqui para lhes propor outra coisa agora, que é pensar no livro como objeto que só existe quando é lido. Começo dizendo o que deve ser o mais óbvio para todos nós: nenhuma leitura é natural, pois qualquer leitura, desde as mais iletradas e ineptas até as mais técnicas e refinadas, é sempre uma formalidade prática que pressupõe outras formalidades simbólicas, sempre arbitrárias, ou seja, convencionais, artificiais, históricas, situadas e datadas. Por isso mesmo, proponho pensar esse intervalo "entre", que é o intervalo existente entre o momento em que o autor inventa o texto e o tempo e o lugar em que acontece a leitura, em um campo de linguagem. Esse intervalo é ao mesmo tempo cronológico e semântico.

Quanto maior é o tempo que separa o autor e o leitor, mais difícil é a leitura, pois os critérios de invenção do texto são outros. Podemos, é claro, falar sociologicamente da leitura, tratando de suas determinações sociais. Ou psicologicamente, tratando de seus processos mentais. Ou, ainda, da materialidade dos códigos bibliográficos e dos meios de comunicação dos textos, como hoje fazem a nova filologia inglesa e muitos historiadores culturais quando tratam de formas e modos de produção, circulação e recepção de textos manuscritos anteriores ao século XVIII. Mas, em todos os casos, a linguagem em que o texto é escrito é absolutamente prévia e determinante, e falar da ordem simbólica que estrutura os textos e o leitor de livros como invenções historicamente situadas me parece pertinente para impedir o entendimento dos textos e dos leitores como natureza, que é o que hoje ocorre cada vez mais, quando os processos neoliberais de desistoricização da experiência fazem o imaginário existir como se não existisse o simbólico, como vemos na indústria cultural e na mídia.

Quero dizer: o livro é uma obra acabada sempre inacabada porque sempre aberta às iniciativas de leitores de diversas mediações sociais, dotados de competências culturais diversas e em diferentes situações sociais. Por exemplo, no caso do livro de ficção, acreditamos que aquilo que o crítico literário e o historiador literário dizem é o significado e o sentido dele. Será mesmo assim? O crítico literário e o historiador literário dominam vários saberes técnicos que lhes permitem ler de modo bastante preciso e inclusivo, mas não dão conta de todas as significações do texto. Por quê? Devido ao intervalo semântico e cronológico ou histórico que existe entre o texto e o leitor. Podemos citar aqui o conto "Pierre Menard, Autor do *Quixote*", de Jorge Luis Borges.

Um teórico da literatura, Karlheinz Stierle, lembra que os contos de fada metem medo nas crianças porque elas os escutam recebendo o imaginário sem o simbólico. Sabemos com a psicanálise e a antropologia que, assim como a loucura, que ignora a sua própria ficção, a alienação é a ignorância do arbitrário simbólico, quero dizer, ignorância da particularidade histórica da regra cultural e dos poderes da regra. Quando particularizamos a regra, evidenciando que ela é produzida historicamente e que, por ser artificial, não é essencial nem eterna, fica também evidente a finitude de tudo. Quem tem consciência dela também sabe que a morte é a condição de tudo o que diz e faz, principalmente a condição da sua liberdade, que também pode ser sua liberdade como leitor. Assim, para pensarmos o que é um livro, temos de pensar o arbitrário que estrutura o texto e o leitor como sujeito da prática de leitura. Digamos que a leitura é um ato de enunciação, um ato em que o leitor repete os atos da enunciação do autor do texto, ocupando o lugar semiótico do destinatário dele. Como o texto e o leitor estão em pontos diferentes da história, a repetição nunca é coincidência. E como os atos de enunciação do autor são atos singulares, como fala ou discurso que produz enunciados intencionais, a leitura põe em relação duas singularidades, a da enunciação do texto e a da enunciação do leitor. No caso, o intervalo temporal entre o texto e o leitor também é um intervalo semântico e é nele que ocorrem as zonas de indeterminação da significação que Wolfgang Iser chamou de "vazios do texto". Esses vazios correspondem a várias espécies de não coincidências entre os dois sujeitos de enunciação, o sujeito autor do texto e o sujeito leitor. São não coincidências gramaticais, retóricas, informacionais, ideológicas etc. Para ler bem, aquele leitor apenas ideal que construímos com pedaços de leitores reais deve reconhecer as coisas que dificilmente nós, como leitores individualizados, reconhecemos conscientemente quando lemos: deve reconhecer a historicidade das convenções simbólicas do texto e do seu próprio imaginário, como indivíduo que assume a posição de leitor apropriando-se da cultura do texto e do livro que o contém. Para tanto, deve ser capaz – e essa capacidade pressupõe muitíssimas outras coisas – de reconstituir os esquemas técnicos, os gêneros, os estilos, as normas de regulação social, os conceitos presentes e as referências ausentes etc. com que o texto particular regula sua forma simbólica; as relações de citação, implicação, explicação, indução, dedução, inversão etc. que o texto estabelece com outros textos e eventos contemporâneos e anteriores; a comunicação ou os modos materiais de sua circulação e apropriação; além do valor que o texto assume no seu campo de conhecimento. Simultaneamente, o leitor deve ser capaz de também definir sua posição de leitor como posição simbólica e imaginária particular, situada ou datada. A desconsideração do simbólico corresponde à ignorância do artificial do texto e da sua própria ficção como leitor, e caracteriza a leitura inepta e insuficiente como ideologia, etnocentrismo ou universalização da particularidade do seu imaginário de leitor. Por isso mesmo, quando falamos de leitura, estamos necessariamente falando da forma do tempo. A forma do tempo marca uma ordem no "eu" de qualquer leitor, a ordem do que veio antes, do durante, do aqui e agora e do que ainda deve vir. Experiência do passado, sensação do presente, expectativa do futuro. Quando falamos dos textos dos livros e do leitor modelados por essa ordem, é fundamental lembrar a historicidade dos gêneros discursivos, inventados como modos sociais de classificar, distribuir e controlar os usos da linguagem, gêneros que por sua vez se incluem em regimes discursivos não ficcionais, alguns deles pragmáticos, como os textos feitos para atingir coisas fora deles mesmos; como os científicos, que pretendem sistematizar e teorizar o universal; ou os textos que não admitem prova de realidade porque exigem crença, como os religiosos; e os textos ficcionais, que só podem ser criticados ou interpretados, mas não provados pela realidade, como os literários e poéticos de várias formações históricas, que são experiências com o possível produzidas por um ato de fingimento que tem diversas definições. Como sabem, entre esses há textos programaticamente escritos para produzir indeterminação e vazios na leitura, como os da grande literatura moderna que até ontem recusou a língua instrumental da sociedade capitalista, forçando os limites da significação em usos inesperados e improváveis.

Textos científicos, como um texto de física quântica, devem ser absolutamente unívocos, mas pressupõem a divisão intelectual do trabalho e o trabalho intelectual da divisão, ou seja, leitores hiperespecializados nas definições com que os seus textos operam. Os textos pragmáticos, escritos para atingir coisas fora deles, como "Proibido pisar na grama", são feitos para serem lidos por todos, mas também admitem leituras inesperadas que contrariam a sua normatividade, produzindo vazios intencionais como subversão da sua instrumentalidade, como na piada lusíada: "Proibido pisar na grama, quem não souber ler pergunte ao guarda". Em todos os casos, os textos não representam a realidade, pois a relação da linguagem com a realidade não é de reprodução, mas de produção de eventos simbólicos como ação e intervenção. O real não é texto, e a linguagem não é a coisa extensa do real, mas um sistema de diferenças binárias, forma ou determinação do indeterminado, muito real como instituição social. Os textos recortam a forma na sua forma e também são reais, como produtos simbólicos de práticas simbólicas datadas que transformam e representam – uso o verbo como no teatro: põem em cena, teatralizam, dramatizam – matérias sociais ou representações sociais do presente da sua produção na forma de mensagens particulares com que a leitura faz a relação fundamental entre a experiência do passado e a expectativa de futuro do leitor e de sua cultura, formulando hipóteses sobre a realidade das coisas na presença do seu presente. A relação de experiência e expectativa é evidentemente histórica, variável e dependente dos modos de dar sentido à presença do tempo histórico, por isso mesmo ordenada por modelos culturais específicos e variáveis. Quanto ao leitor, é antes de tudo somente um homem, um ser temporal determinado pela morte. Ele tem uma vida arbitrária que, para continuar desejando os objetos que preenchem o buraco do seu eu e a falta de sentido da destruição que é sua história na história de sua sociedade, relaciona intencionalmente os conteúdos empíricos do seu presente com as representações que lê no texto enquanto "é agido" pelas sínteses passivas do tempo original do seu inconsciente. Aqui, uma coisa básica a ser lembrada é que o leitor deseja ler o texto e realmente o lê, mas também é lido pelo seu imaginário. Pensa ler e realmente lê, mas é lido pelos modos como a sua cultura organiza a experiência do tempo. Pensa ler e realmente lê, mas é lido pelo texto. O texto lê as legibilidades do leitor porque o leitor é um corpo marcado já antes de nascer pelos signos da cultura que se falam nele como uma algaravia de textos contraditórios. Passivo, o leitor sofre o efeito do texto que lê, sempre posto entre as representações imaginárias que povoam sua história de vida e a regra simbólica que dá forma social a elas no texto e no seu corpo. Ativo, o leitor não lê apenas reproduzindo o imaginário e a regra simbólica, porque a reprodução mais fiel do texto lido acontece como diferença temporal e é reflexão e autorreflexão, deslocamento e condensação das significações. Assim, quando falamos de leitura, é fundamental dizer que, quando lê, antes mesmo de aprender qualquer coisa do texto, como os conteúdos dele, o leitor aprende com o próprio ato que a verdade do texto não é adequação, mas produção de novas significações e sentido. E isso porque, de vários modos, lendo o texto enquanto é lido por ele, formula conjuntos ou sínteses parciais que recolhem as formas do seu tempo de leitor em imagens possíveis do seu tempo de homem, como uma ação que resiste contra a morte, dando sentido à presença do seu presente. O sentido não preexiste ao ato em que o leitor o inventa na leitura, pois não há nenhum sentido *a priori* nas coisas. A relação do leitor com as proposições do texto e com as coisas que elas nomeiam constitui objetos que não são algo prévio a ser simplesmente reconhecido, lembrado ou recitado, mas algo posto como limite do processo com que dá sentido à sua prática. Gilles Deleuze dizia que, do verdadeiro, nós temos sempre a parte que merecemos de acordo com o sentido do que dizemos. Os grandes textos científicos, filosóficos, históricos e literários estranham a familiaridade do leitor com as coisas e lhe fazem uma pergunta radical: "Você trouxe a chave?". A verdade que o leitor produz em qualquer leitura é um resultado empírico do sentido que dá à resposta para essa questão.

Os textos não representam a realidade, pois são forma simbólica recortada na linguagem como uma determinação do indeterminado que põe em cena os modelos culturais que dão forma às práticas. Falando esquematicamente, um modelo cultural é uma síntese teórico-prática que relaciona a experiência do passado e a expectativa de futuro, dando significação e sentido à presença do presente. Os modelos culturais fundem normas de regulação social e esquemas de ação verbal em diversos níveis operatórios. Um deles é, por exemplo, teórico, e consiste nos pressupostos epistemológicos, teorias, conceitos, categorias, definições, argumentos, provas, exemplos, opiniões, mitos e ideologias de um campo específico do conhecimento e da ação. Outro nível é pragmático, e consiste nos preceitos que organizam o fazer e os modos de agir sobre as coisas e os estados de coisas, orientando politicamente o sentido da transformação delas segundo finalidades particulares. Outro, ainda, é técnico, e corresponde à ordenação gramatical e retórica da forma da informação. Se pensamos "texto" como encenação de modelos culturais, podemos dizer que a leitura é uma tradução das figuras relevantes dos modelos culturais representados nele, ou seja, uma tradução feita como sínteses parciais da teoria, da pragmática e da técnica que ele dramatiza. O leitor traduz a informação nova do texto por meio das informações que conhece e, em geral, faz paráfrases e interpretações e, muitas vezes, como é comum na instituição escolar, só faz paráfrases e só faz hiperinterpretações. Nesses dois casos extremos, pela paráfrase reproduz quase que literalmente a informação semântica do texto, sendo como que falado ou dominado pela sua estrutura, sem distanciamento. Na USP, faz alguns anos, em um curso de graduação sobre o romantismo brasileiro, propus como trabalho possível a crítica de um ensaio de Antonio Candido sobre o romance de Manuel Antônio de Almeida, *Memórias de um Sargento de Milícias*. Uma aluna me entregou um texto em que abria aspas, reproduzia o título do ensaio, "Dialética da Malandragem", e o nome do autor, e fazia a cópia totalmente integral do texto, fechando as aspas no final e pondo, depois delas, uma data e sua assinatura. Achei extraordinária a repetição. Pensando que a sua diferença poderia significar alguma coisa ironicamente borgiana, que seria muito interessante como o projeto de Pierre Menard de reescrever o *Dom Quixote*, chamei a aluna, uma japonesa simpática e muito tímida que falava português com sotaque bastante carregado, e lhe perguntei o que tinha pretendido. Ela sorriu, fez uma reverência e me disse: "Professoro Cá-n-dido, otôo-ridá-de". Aqui aconteceu no grau máximo o que ocorre diariamente na instituição escolar e nos aparelhos ideológicos que predeterminam a significação e o sentido dos textos, propondo-os como tendo uma verdade unívoca, acabada e fechada que deve ser parafraseada, pois não admite a produção de significações divergentes da que autorizam. Aqui, como disse minha aluna, a autoria do texto, mais que o próprio texto, é autoridade. Candido é realmente uma autoridade da crítica literária, mas minha aluna não considerava que seus textos são publicados, ou seja, os textos como objetos públicos pressupõem justamente a oposição de público e privado. Minha aluna agiu como se vivesse, por exemplo, no século XVII, em que essa oposição não existia e ela fosse, como parte do público da representação, apenas uma testemunha da autoridade do texto, obrigada a reconhecer e a repetir sua posição de público subordinado. Se ela vivesse no século XVII e tivesse a oportunidade de ouvir o *Sermão de Santo Antônio* que o padre Vieira pregou em 1656, sua repetição literal do texto e sua declaração de que a autoria é autoridade não causariam estranheza e provavelmente seriam aplaudidas, sendo objeto de louvor. Vieira diz, nesse sermão, que teve um pensamento que lhe pareceu não ter autoridade porque, quando o pensou, não se lembrou de nenhum autor canônico que já o tivesse dito. Mas, diz logo em seguida:

Assim o tinha eu imaginado com algum receyo, por ser pensamento sem Author; quando venturosamente o fui achar em Santo Agostinho no livro 2 de *Trinitate*, onde excita, & resolve a questão pelo mesmo fundamento (*Sermão de Santo Antônio*, 1656).

Ou seja, se Santo Agostinho pensa isso e diz isso, também posso e, principalmente, devo pensar isso e dizer isso. A total repetição da paráfrase da minha aluna evidenciava muitas outras coisas sobre sua posição como leitora, como a educação autoritária que deve ter recebido, sua posição como aluna nos cursos da USP, como mulher etc. O outro modo também extremo de ler é a hiperinterpretação, em que o leitor, especialmente o leitor escolar, descobre intenções que o autor quis dizer mas não disse, subordinando projetivamente a informação do texto ao seu imaginário, sem observar que sua interpretação deve ter limites determinados pela regulação retórica do gênero e do regime discursivo do texto. Por vezes, nem isso, quando o próprio texto deixa de existir na leitura. Já referi esse caso, mas quero repeti-lo porque é exemplar. Há três anos, alunos do último ano do Ensino Médio noturno de uma escola pública de Carapicuíba, observados por uma orientanda minha que fazia uma pesquisa sobre representações da leitura literária, tinham de ler a proposição de *Os Lusíadas* que a professora lhes passou em cópias mimeografadas. Quando ela lhes perguntou o que entendiam pelo verso "As armas e os barões assinalados", dois ou três deles disseram "Armas, *fessora*, os *estilete* e os 38". Aqui, o imaginário policial eliminou as convenções da épica, ou seja, ignorou que se tratava de um texto, e de um texto com historicidade própria. A professora reclamou, disse que o texto era do século XVI, um tempo com muitas técnicas aperfeiçoadas de matar, mas não com revólveres 38. Mas um aluno perguntou o que queria dizer "século XVI", o que também demonstra que a leitura escolar pressupõe outras determinações básicas, como a de uma educação pública decente que não dependesse das armadilhas dos governos tucanos e petistas que temos tido há séculos. Nos dois exemplos, temos dois casos paradigmáticos de leitura que não é propriamente leitura errada, mas leitura besta: a leitura dominada pela autoridade do valor institucional da autoria do texto e a leitura dominada pelo imaginário do leitor. A besteira que é rotineira na leitura escolar de alunos e professores não é erro e distingue-se do erro. Classicamente, o erro toma o falso por verdadeiro. Classicamente, o erro é o reverso de uma ortodoxia racional e testemunha em favor da verdade suposta de que a leitura se desvia. A besteira, não. A besteira se relaciona ao processo de individuação e faz falar uma vontade obtusa, cheia de si sem si como falta de forma simbólica do imaginário bruto, que irrompe sem fazer distinções, impondo-se à força. Podemos supor que, em cada leitura, deve haver um ponto por assim dizer "médio" de reconhecimento do artifício da representação do texto, segundo seu gênero e seu regime discursivo, e também do artifício social que regula o imaginário do leitor. É justamente porque reconhece o arbitrário cultural das normas e dos esquemas do texto que o leitor também reconhece o arbitrário cultural do seu imaginário e, com isso, pode interferir nele, transformando-o produtivamente. Evidentemente, a coincidência do leitor com o destinatário textual é sempre parcial, pois ambos estão em pontos diferentes da história, como disse. Os "vazios do texto" decorrentes desse intervalo podem ser armadilhas e somente são preenchidos, e nunca totalmente, quando o leitor é capaz de considerar as diferenças culturais que compõem o intervalo para historicizar a leitura como prática datada. Adiante, volto a falar nisso. Antes, lembrando os casos extremos da obediência besta da minha aluna e da besteira bárbara dos alunos leitores de Camões, é útil dizer diretamente o que estou apalpando desde que comecei com o exemplo da minha aluna: o leitor é sempre uma parcialidade parcial.

No País das Maravilhas, como sabem, Alice diz que nunca ninguém falaria nada se pensasse antes de falar. Do mesmo modo, na leitura; seria extremamente desencorajador e mesmo impossível ler qualquer coisa se, antes de começar, o leitor pensasse no que realmente acontece quando lê; quero dizer, se sempre pensasse que está totalmente só e que, em frente ao texto, tem de pressupor a série cultural em que ele se inclui e a complexidade sempre crescente dos conjuntos intotalizáveis das interpretações polêmicas que já foram feitas e que ainda estão por fazer sobre ele. A leitura pareceria mais improvável ainda se, antes de começar, o leitor também tivesse de ter consciência de todas as determinações históricas da sua individuação como indivíduo situado em uma história de vida particular que começa com o teatrinho de papai e mamãe e continua com o sexo e a classe e a família e a instituição escolar e as contingências da vida social etc., e tudo isso em um ponto do tempo que sempre é outro, o do seu presente atual de leitor, que sempre é o presente de uma história confusa, diferente do presente tecnicamente congelado do tempo do texto. Mas o leitor lê, apesar de tudo, com parcialidade: seu conhecimento das determinações do texto e de suas determinações psicológicas e sociais como indivíduo é sempre parcial, quero dizer, o leitor é uma parcialidade parcial. Aqui, uma armadilha que o espera é o próprio modo que ordena sua não coincidência com o texto – por exemplo, quando não entende as palavras, quando não entende a ordem sintática, quando confunde uma informação do texto com outra, quando confunde os processos simbólicos do texto com processos empíricos, quando não percebe níveis operatórios do texto, quando se desvia de uma medida dada por autoridades como correta para ler bem, quando seu bom-senso falha em relação ao senso comum de uma comunidade de leitura, quando a sua interpretação escapa da ortodoxia etc. As modalidades da imprecisão são infinitas, e as únicas que interessam são as imprecisões precisas, as intencionais. A leitura e a tradução dos Sozzini que a Inquisição interpretou como erro eram intencionalmente políticas como leitura ateia da *Bíblia*, que transforma a palavra de verdade de Deus defendida pelo pensamento dogmático da Igreja no produto contingente de um ato de fingir. Leram a *Bíblia* como quem lê um romance, afirmando que o texto sagrado é produto de um ato humano de fingimento que o produz como ficção. Na maior parte das vezes, infelizmente, o leitor não produz imprecisões intencionais quando lê, pois é lido. Para inventar alternativas para essa situação, e essa é outra coisa fundamental, o leitor tem de reconhecer a ordem simbólica. Não se trata de fundar substantivamente a autoridade da enunciação do texto em indivíduos, como fez a minha aluna, ou em instituições, como fez a Santa Inquisição, mas trata-se de particularizar as contingências de um corpo, o do leitor, em uma situação determinada, relacionando-as com um lugar institucional, caso da leitura escolar, artificialmente construído de um tempo histórico.

Assim, outra coisa que me parece fundamental é voltar ao intervalo e dizer que a leitura põe em contato duas séries heterogêneas que correm paralelamente uma à outra. O texto lê o leitor que lê o texto no intervalo. Nele é que acontecem os vazios do texto, como diz Iser. É no intervalo, quando a comunicação é estabelecida entre as duas séries, o leitor e o texto, que as consequências são felizmente imprevisíveis e incontroláveis. Como diz Deleuze, alguma coisa passa entre as bordas, ou nos limites desse "entre" estouram acontecimentos e fulguram fenômenos do tipo relâmpago e raio. Aqui encontramos os modelos culturais que regulam a forma da experiência do tempo histórico comunicada no intervalo. O intervalo temporal entre texto e leitor às vezes é muito pequeno, quando, por exemplo, eles são da mesma formação histórica, e os modelos culturais que ordenam o presente do texto são os mesmos do presente da cultura do leitor. Imaginemos um leitor de textos pragmáticos da *Folha de S. Paulo*, ou de textos científicos ou técnicos sobre a produção do etanol, ou de um romance de José Lins do Rego, Malcolm Lowry ou Paulo Coelho. Mas o intervalo semântico, mesmo quando o intervalo temporal é pequeno, pode ser intransponível, pois pressupõe a situação de classe e a posição de classe do leitor, sua instrução, sua educação, sua informação, suas competências técnicas etc. Como sabem, a situação de classe do leitor não determina necessariamente a qualidade da sua leitura: há excelentes leitores proletários e leitores burgueses absolutamente estúpidos.

O intervalo geralmente é grande, e às vezes é um buraco negro impossível de entender, quando o texto e o leitor são de formações históricas muito diferentes. Como ler hoje os glifos maias de Palenque, as inscrições de Dario que se abrem para o abismo na montanha no Irã, os enunciados latinos gravados a trinta metros de altura na Coluna de Trajano em Roma? Quem é seu leitor? Especialistas, hoje. No seu tempo, provavelmente os deuses. Como ler textos do Antigo Regime, como os coloniais, que pressupõem outros conceitos de tempo histórico, poder, pessoa, autoria, texto e público, e não conhecem categorias como "literatura", "originalidade", "plágio", "direitos autorais" e os estilos que os classificam unitariamente nas nossas histórias literárias, Classicismo, Barroco, Neoclassicismo etc.? Provavelmente, com a tristeza necessária para reconstruir Cartago. Por vezes, ainda, e é o caso da nossa condição contemporânea, o intervalo não pressupõe a continuidade temporal, mas o descontínuo, em que outras modalidades de sujeito, outras concepções de realidade, outras definições de linguagem, outros sentidos para o tempo histórico, passam a valer. Hoje, por exemplo, ainda não inventamos categorias adequadas para dar conta da mudança dos modos de conceber a experiência no tempo desde que as utopias iluministas foram consideradas extintas. Lemos os textos de ficção de hoje, que não mais pressupõem as categorias iluministas de ontem, com as categorias iluministas de ontem. Somos não contemporâneos da nossa contemporaneidade, o que é uma forma de alienação. De todo modo, para ler preenchendo o intervalo temporal e semântico, o leitor tem antes de tudo de suplementar a sua própria insignificância, a sua falta de significação.

Para isso, antes de acabar, lembro outra coisa fundamental. Deve valer para qualquer leitura o que os teóricos alemães da estética da recepção e da leitura propõem para o texto de ficção. Sabemos que o texto de ficção funciona como a sua própria poética, pois sua enunciação é construída como figuração intencional de um ato de fala fingido ou contingente em que o papel do autor se relaciona com o próprio texto, não com os objetos, ações e eventos figurados nele como coisas exteriores, como acontece nos textos não ficcionais. A enunciação ficcional finge um ato de comunicação que transforma matérias sociais produzindo efeitos de realidade para o destinatário. Quando ocupa o lugar do destinatário, o leitor tem de estabelecer uma relação de comunicação fingida com as coisas figuradas sem confundir o processo fictício de produção de seres imaginários com a vida empírica. Como diz Stierle, seu papel como leitor independe do contexto da sua história pessoal como leitor. Como leitor, deve refazer os atos da invenção do texto, que são atos intencionais. Para isso, a unidade mínima da leitura é a palavra ou o significante, como "armas", o primeiro termo do primeiro verso da proposição de *Os Lusíadas*, "As armas e os barões assinalados", para o qual deve atribuir um significado, fazendo uma equivalência ou tradução com que reconhece uma figura relevante que deve relacionar com outras figuras relevantes. Evidentemente, no texto a palavra não está em "estado de dicionário". Seu significado não é unívoco, pois não é somente significado dicionarizado, mas retórico, resultante de uma enunciação intencional que relaciona a palavra com matérias simbólicas contemporâneas e anteriores, citadas ou pressupostas. A enunciação desloca e condensa a significação da palavra, fazendo com que admita significações simultâneas e inesperadas nas associações que ela estabelece com as palavras anteriores e posteriores da sequência, e entre a palavra e as referências culturais ausentes que são citadas ou ficam implícitas. Voltando ao exemplo dos alunos que tiveram de ler *Os Lusíadas*: eles deveriam saber de algum modo que "armas" é uma parte pelo todo, uma sinédoque, como palavra que significa "armas" e que vale por "guerras" ou "feitos militares", significando indiretamente as guerras da história medieval portuguesa. Mas "armas" também é tópica do gênero épico doutrinado na poética aristotélica e, no caso de *Os Lusíadas*, relaciona-se às virtudes feudais que definem o caráter e a ação dos heróis portugueses como força, coragem, lealdade e honra. Também é imitação do primeiro verso da *Eneida*: *Arma virumque cano*, "Canto as armas e o varão". E, principalmente, é um protocolo de leitura: indica que o leitor deve ler de um modo, o épico, e não de qualquer modo.

O ato de ler é uma redução, como diz Stierle, ou um ato produtor de sínteses parciais. O texto é um tecido de proposições, ou seja, uma complicação, literalmente, um conjunto de relações simultâneas que se desdobram horizontalmente na sequência e verticalmente nas referências, relacionando-se com outros desdobramentos. As palavras se ordenam em sequência e o leitor também deve observar sua ordem sintática, que é funcional: a sintaxe é um esquema das relações dos significados, esquema que situa, distribui, contextualiza e diagrama o significado de cada palavra isolada para construir novas significações horizontais com a relação estabelecida entre elas. No caso de *Os Lusíadas*, os alunos teriam de observar que o termo "armas" está imediatamente ligado à expressão "barões assinalados", "varões", homens, também "barões", fidalgos, que são "assinalados", famosos por seus feitos, com a honra e a glória históricas das armas que o canto épico começa a eternizar. Assim, a expressão "armas e barões assinalados" é uma antecipação, uma síntese prévia da matéria, do gênero e do estilo do poema, matéria que o poeta realça gramaticalmente como objeto direto posto antes de tudo como os dois primeiros termos épicos da proposição. Assim, o eventual leitor de Camões deve observar que, já no primeiro verso, o poema fornece o protocolo da leitura adequada. Logo, também deve saber que o verbo desse objeto direto aparece somente quinze versos depois, "espalharei", no verso "Cantando espalharei por toda parte" ("As armas e os barões assinalados"), porque o poeta ocupa os primeiros quatorze versos para detalhar sua longa matéria histórica: a história de Portugal do século XII ao século XVI e a viagem de Vasco da Gama à Índia, no final do século XV, como as ideias principais condensadas e anunciadas em "armas e barões".

Em qualquer leitura, o leitor tem de descomplicar a complicação do texto e, para isso, tem de operar as implicações dele: tem de dominar repertórios de informação muito variados. No caso de *Os Lusíadas*, são esquemas de ação verbal, como a informação de que o canto é composto com engenho, ou seja, a faculdade intelectual do juízo, e com arte, que são os preceitos técnicos do gênero. Também tem de conhecer normas de regulação social do tempo de Camões, como a oposição de honra fidalga a vulgaridade mercantil. E informações factuais, como as relativas aos contatos portugueses com lugares da África Oriental, como Melinde, Mombaça, Sofala etc. E referências poéticas, versos e personagens de Homero, Virgílio, Ovídio, Horácio, Boiardo, Ariosto etc. E referências mitológicas, deuses olímpicos, ninfas aquáticas e seus atributos. E referências filosóficas, teológicas, éticas e hagiográficas, categorias e classificações que remetem a leitura para os sistemas simbólicos de várias tradições transformadas metaforicamente no poema.

A significação de cada palavra é obtida por uma hipótese que o leitor constrói com procedimentos de seleção, redução, equivalência, tradução e contextualização dos significados dos termos que ele associa na sequência da leitura. Evidentemente, o texto relaciona o significado de termos, e, no caso de Camões, versos e episódios com interpretações culturais contemporâneas que especificam o que é verdadeiro e verossímil. As interpretações prescrevem e determinam associações que hoje, quando o mundo de Camões está extinto, não são evidentes. Por isso, o leitor tem de fazer uma hipótese arqueológica sobre a relação horizontal ou presente dos termos e dos versos; e, também, sobre as relações deles com referências ausentes, imitadas, citadas, estilizadas ou parodiadas. Para isso, o leitor deve preencher os vazios semânticos que se produzem na justaposição e na distância dos termos e também no estilo e nas referências a poetas, filósofos, historiadores, geômetras e astrônomos antigos. Deve ainda observar a alternância da narração épica, em que o poeta conta a ação diretamente, e da encenação dramática, em que personagens como Vasco da Gama e Paulo da Gama falam. O leitor deve se orientar pelo modo específico da invenção da forma, enfim, entendendo a forma como produto artificioso de um ato de fingir ordenado por preceitos miméticos do gênero épico que transformam a matéria histórica do reino de Portugal. Pareceria até impossível ler considerando todas essas coisas, mas o leitor sempre lê, de um modo ou de outro, reconstituindo essa estrutura fundamental determinada pelo gênero e refazendo a cada momento as escolhas feitas pelo poeta, e, simultaneamente, fazendo as associações da sua liberdade de leitor, sempre limitada pelas regras dessa estrutura. Como disse, há sempre um desnível entre a enunciação do texto e a leitura dele, e a significação produzida tende a ser uma tensão de fechamento e abertura, clareza e hermetismo, determinação e indeterminação. A leitura transforma o poema e o livro em um valor de uso inesperado, produzido como introdução de indeterminação semântica na determinação semiótica do discurso. A significação do texto de ficção não se esgota na interpretação temporalmente variável que fazemos dele. Mas, em qualquer leitura, que é por definição variável, o leitor deve encontrar a estrutura básica do texto, que permite justamente a comunicação do ato da sua invenção com a sua leitura. Isso também define o que é um livro.

★★★

## SOBRE O AUTOR

♦

João Adolfo Hansen nasceu em 1942, na cidade de Cosmópolis, em São Paulo. É docente aposentado da Universidade de São Paulo, crítico literário, pesquisador, ensaísta e historiador da literatura brasileira. Entre suas publicações, destacamos *A Sátira e o Engenho* (Ateliê Editorial, 2004). Escrita como tese de doutorado, consiste no mais completo estudo sobre Gregório de Matos e a Bahia do século XVII.

| | |
|---:|:---|
| *Título* | O Que É Um Livro? |
| *Autor* | João Adolfo Hansen |
| *Editor* | Plinio Martins Filho |
| *Revisão técnica* | Marisa Midori Deaecto |
| *Revisão* | Simone Oliveira |
| *Produção editorial* | Aline Sato |
| *Capa* | Gustavo Piqueira e Samia Jacintho / Casa Rex |
| *Editoração eletrônica* | Camyle Cosentino |
| *Formato* | 10 × 15 cm |
| *Tipologia* | Aldine 401 BT |
| *Papel do miolo* | Pólen Bold 90 g/m² |
| *Número de páginas* | 72 |
| *Impressão do miolo* | Rettec |
| *Impressão da capa* | Oficinas Gráficas da Casa Rex |